ÃRRÃ

Vinicius Calderoni

ÃRRÃ

Cobogó

SUMÁRIO

Sobre gesso, Matrioscas e Atum

É como se fosse uma fisioterapia nas ideias e nos afetos. Sabe quando você acabou de tirar o gesso do braço que tinha quebrado?, e você vai esticando o cotovelo, bem devagar?, e dói?, e é gostoso?, e o teu braço vai se lembrando que ele também estica?, e é bom demais? A sensação que eu tenho é essa. Que aquelas letras, espaços e sinais de pontuação, na ordem em que o Vinicius os coloca, entram, pelos olhos, pra dentro da nossa cabeça, olham lá dentro e dizem, gente, tá tudo muito parado por aqui! Vamos mexer um bocadinho. E retorcem um pedaço do córtex pra um lado, repuxam uma artéria que chacoalha o coração meio de banda, e a gente vai lembrando que já foi tão livre!, que a criança na gente já foi capaz de inventar tantas histórias loucas e ser tantos índios, chineses e cowboys. E que o cowboy, se quiser, pode se chamar Lucrécia e morar numa bolha de sabão entre Bangu e cinco da tarde. A liberdade desse texto acorda a nossa vontade de também sair por aí rodopiando.

Ãrrã é apresentado por um coro de Matrioscas dançando cancan, cebolas em cinco dimensões que vão se despetalando dentro da gente. Viajar por essa peça é aprender várias línguas por minuto. Penso nesse novo filão do cinema, com personagens que são mestres das águas, ou dos ventos, ou do fogo... Pra mim, *Ãrrã* é um desses heróis. Um desses mestres, do espaço, do tempo, da perspectiva, embaralhando presente, futuro, passado. Uma peça cubista que mostra a mesma personagem simultaneamente de frente e de perfil, que coloca a gente diante da personagem e ao mesmo tempo dentro dela, enxergando o mundo com os olhos dela, olhando pra plateia do espetáculo, curiosos pra saber se eles estão gostando da peça, e dando pros espectadores a oportunidade de criar um bocadinho, de inventar que história é aquela que a gente está contando pra eles.

Atum se masturbou em Heliópolis. Tá na Wikipédia. Fiquei com essa sensação da peça, numa dada hora, quase gerar a si própria, quase dispensar a opinião do seu autor, e fui ao Google ver se a minha lembrança vaga de um ser mitológico que se auto-gestava dava em alguma coisa. Seria uma citação chique pra esse texto de apresentação. Na rede encontrei Atum. Não o peixe, mas o neter egípcio, adorado na antiga Heliópolis da terra dos faraós. Atum vivia sozinho e deu origem à explosão que gerou os demais corpos celestes. E quando torna-se a si mesmo, toma a forma de... Rá! (Quase *Ãrrã*, como se os antigos egípcios já dessem pra gente uma piscada de olho, um teaser, pra ficarmos atentos a uma peça de teatro que seria escrita dali a alguns anos). Por ser o primeiro ser a existir, Atum ainda não tem parceiro amoroso e realiza esse primeiro ato de criação sem relação sexual. (É nessa hora que ele se masturba em Heliópolis — tranquilo de que não teria ninguém espiando.)

"Atum é o resultado da transformação de Nun (o ser subjetivo) no ser objetivo." Lendo essa frase, acho que *Ãrrã* também é o oposto de Atum. Porque *Ãrrã* está mais pra transformação do ser objetivo no ser subjetivo: A peça tem um desenho formal muito rico, é quase uma equação matemática, um galho na árvore genealógica da família de Cortázar e Raymond Queneau, onde as vezes a forma é o próprio conteúdo. E é de dentro das operações formais do texto que a emoção é pega de surpresa. Como a florzinha que nasce entre os paralelepípedos. O coração relaxado e distraído, enquanto o cérebro trabalha incansável, tentando entender que diabo de operação é aquela que o autor tá propondo, que lógica rege aquela cena, que é diferente da lógica da cena anterior? E virando uma esquina, Pimba!, tá lá uma emoção louca que nos chacoalha, desprevenidos, os olhos marejados, o corpo encharcado por uma cachoeira de amor que a gente não viu de onde vinha.

Felipe Rocha

Instruções para abrir uma janela

Ãrrã é um texto para dois atores-jogadores.

Atores-jogadores são pessoas que existem — com seus corpos que se mexem, cheios de terminações nervosas, músculos, sangue e ossos — e que contém dentro de si uma orquestra inteira de vozes: duas pessoas capazes de ser uma multidão.

(Em outras palavras, a mais precisa descrição que encontrei para falar de Luciana Paes e Thiago Amaral, e fica aqui expresso meu amor e gratidão, pela genialidade disponível com que se deixaram afetar pelas palavras dessa peça.)

E que, sendo uma multidão, possam nos acordar para a força do ato da fabulação, para tudo que se pode estabelecer tão somente através de palavras ditas sobre um palco: a fala que instaura universos e os desfaz, que opera saltos ou fusões no tempo e no espaço sem truques pirotécnicos, que nunca nos deixa esquecer da dimensão do teatro como jogo lúdico.

(Meu sincero agradecimento a Bel Diegues e Mariah Schwartz, que compreenderam tudo e me ajudaram a tornar todas estas operações mais nítidas; e a Felipe Rocha, com sua alma oceânica e clarividente, capaz de iluminar tanta coisa que sempre esteve aqui e eu nunca soube direito.)

Existe uma janela aberta por onde entram faíscas de fogos de artifício da festa que decidimos dar: é uma celebração sincera da nossa precariedade e da fragilidade de nossas motivações.

Ãrrã existe: é para nos lembrar que estamos vivos.

Vinicius Calderoni

ÃRRÃ

ou

A GENTE SEMPRE TEM QUE ESTAR EM ALGUM LUGAR

ou

TEATRO DO INDIZÍVEL

ou

A VELHA A FIAR

ou

UMA PONTE PARA O OUTRO

de **Vinicius Calderoni**

Ãrrã estreou em 17 de setembro de 2015 na Sala II do Sesc Belenzinho, em São Paulo.

Texto e direção
Vinicius Calderoni

Elenco
Luciana Paes e Thiago Amaral

Assistência de direção
Guilherme Magon

Cenografia
Valentina Soares e Wagner Antônio

Figurino
Valentina Soares

Iluminação
Wagner Antônio

Música original e desenho de som
Miguel Caldas

Direção de movimento
Fabrício Licursi

Direção de produção
César Ramos e Gustavo Sanna

Realização
Empório de Teatro Sortido

As coisas.
Que tristes são as coisas
consideradas sem ênfase.

"A flor e a náusea",
CARLOS DRUMMOND DE ANDRADE

A vida na morte, a morte na mulher, a mulher no homem, o homem no boi, o boi na água, a água no fogo, o fogo no pau, o pau no cachorro, o cachorro no gato, o gato no rato, o rato na aranha, a aranha na mosca, a mosca na velha e a velha a fiar.

"A velha a fiar",
AUTOR DESCONHECIDO

I. PONTOS DE FUGA

1. Aquele homem entra no estacionamento,

estaciona o carro,

veste seu paletó,

caminha até o foyer,

se mistura à multidão

e estende seu bilhete à funcionária.

Aquele homem para.

Senhor?

A janela.

Senhor, o seu ingresso...

A comida do gato,
o remédio pra gripe,
a luz do banheiro,
a porta da frente...

E não se preocupe, pessoal, esse é só mais um homem se lembrando de que

a janela ficou aberta!

Que não é o mesmo que uma janela fechada.

Quando alguém diz "janela", você a imagina aberta ou fechada?

Na frase "tenho trabalhado muito, mas acho que em breve deverei ter uma janela", a janela está:

(a) aberta

(b) fechada

(c) apenas encostada

(d) suja

(e) nenhuma das respostas anteriores

Porque por uma janela aberta podem entrar rouxinóis, canários, bem-te-vis, corvos, urubus, pode entrar um gato caído do andar de cima ou um gordo vestido de Papai Noel, numa casa sem chaminé.

Por uma janela aberta entra saliva, pus, esperma, sangue e até a água da chuva, se a previsão estiver correta.

Por uma janela aberta vai entrar o novo, a neve, o peso das horas mortas, faíscas de fogos de artifício, um grito desesperado, o gol do seu time, o orgasmo da vizinha ou um dublê de filme de ação que errou a mira da janela do apartamento ao lado onde acontecia a filmagem, na verdade.

Entram ladrões, larápios, saqueadores, poetas, ex--maridos, turistas e outros agentes que certamente moverão as coisas do lugar onde estavam — e é disso que você tem medo?

"Feche essa janela ou vai pegar um resfriado", e isso é a sua mãe que está dizendo, e pela mesma janela onde entra essa frase, entra também o jeito que sua primeira namorada ria, um tapa que teu pai te deu na cara, os bordões do programa de rádio AM que seu avô ouvia e uma bola de capotão que você chutou quando era criança e havia se perdido pra sempre.

Meu amigo, eu não tenho o dia inteiro!

Quem não tem o dia inteiro é o espectador que está logo atrás daquele homem na fila, e a fila já é considerável, a essa altura.

Aquele homem.

Aquele homem na porta do auditório.

Aquele homem na porta do auditório com um ingresso na mão.

Aquele homem na porta do auditório com um ingresso na mão e uma janela aberta.

Aquele homem na porta do auditório, com um ingresso na mão e uma janela aberta, obstruindo a entrada dos espectadores.

Aquele homem na porta do auditório, com um ingresso na mão e uma janela aberta, obstruindo a entrada dos espectadores, tem uma resposta à altura.

Aquele homem na porta do auditório, com um ingresso na mão e uma janela aberta, obstruindo a entrada dos espectadores, tem uma resposta à altura e a sua resposta é:

ÃRRÃ

2.

O alívio é geral porque a fila de espectadores volta a andar.

E os espectadores.

Essas pessoas reunidas porque estão vivas e seus corpos que se mexem.

Essas pessoas reunidas porque um dia existiu Johann Sebastian Bach, com seu corpo que se mexia, cheio de terminações nervosas, músculos, sangue e ossos.

Essas pessoas reunidas porque existem em torno da ideia da perenidade da obra de alguém que não existe mais.

Essas pessoas reunidas.

Um cara de vinte e tantos anos acompanhado de uma amiga francesa, por quem ele é apaixonado, e a amiga francesa que não sabe de nada.

Um senhor de 92 anos, assinante da temporada de música erudita impecavelmente vestido com smoking — andando com o auxílio de uma bengala dourada.

Um jovem violinista, bolsista da escola municipal, que gastou até o último centavo pra comprar seu ingresso.

Duas amigas de infância que não se veem há muitos anos: uma, recém-divorciada, a outra, recém-demitida do escritório de arquitetura em que trabalhava.

Um respeitado crítico de música erudita que cumprimenta muitas pessoas com apertos de mão ou acenos de cabeça, enquanto caminha até sua poltrona.

Um homem de meia-idade, estampando uma expressão carregada, que foi ao concerto para se distrair enquanto espera uma notícia importante que pode chegar a qualquer momento.

A funcionária responsável por destacar os ingressos, vestida com uniforme e sentindo dores nos pés, culpa dos sapatos apertados.

O dono da voz dos anúncios obrigatórios de segurança em sua cabine, tentando sintonizar uma rádio que transmita o jogo do seu time.

A notorius British violoncellist, a few minutes before the recital, finishing to buttom-up his shirt, while looking himself in the mirror.

Um menino de nove anos acompanhado de seus pais, jogando um videogame portátil, e esse menino que pensa:

toma, toma essa, toma esse soco, morre, seu otário, ah, não, como é que defende? Ah, morri, *e o homem de meia-idade que pensa* "e se nada disso nunca mais? Destacar o ingresso, procurar a cadeira. A gente sempre está em algum lugar, mas e quando a gente não está em lugar nenhum?, *enquanto o jovem violinista pensa* um dia essas pessoas vão passar perfume e vestir uma roupa bonita pra me assistir tocar, *e se senta na poltrona ao lado das amigas de infância, sendo que a recém-divorciada pensa* acho que foi em outubro do ano passado, logo depois daquela viagem pra Grécia, a última vez que nós viemos. Em outubro do ano passado eu era uma mulher casada, *e a recém-demitida pensa* incapaz de integrar conceitos primários, filho da puta misógino, *e os olhos acompanham os pensamentos revoltos e chegam a uma cabine envidraçada ao lado das frisas onde o dono da voz do anúncio obrigatório pensa* música gospel, sertaneja, sermão de pastor evangélico, não é possível que não estejam transmitindo o jogo do meu time, *e logo abaixo a funcionária que destaca os ingressos pensando* ô povo que não para de chegar, pelo amor de Deus, nunca vi gostar tanto dessa música chata, *enquanto destaca os ingressos do cara e de sua amiga francesa, que sorri ternamente e agradece enquanto o cara pensa* o jeito como ela se move, o jeito como ela existe, eu poderia te assistir eternamente, *enquanto a amiga sorri para o senhor nonagenário que passa pensando* n, m, l, j, i... 21, 19, 17, ué, cadê o 18, será que esse moço sabe?, *e pede informações ao crítico de música, que ajuda o senhor a chegar ao seu lugar* eles sabem quem eu sou, eles sorriem pra mim; mas será que eles desconfiam?, *tudo isso enquanto o violoncelista é chamado e sobe as escadas que o levam ao palco pensando* all these people from this country: what brings them here? Are they really gonna come? Oh, they're here.

E o violoncelista na coxia I ought to be perfect, *num ângulo em que pode ser visto pelo jovem violinista* caralho, é ele! É ele mesmo! Só espero que meu coração aguente, *que se ajeita na cadeira e esbarra a perna na amiga divorciada* talvez seja isso, a vida tenha que fechar uma porta pra abrir uma janela, *que, emocionada, dá a mão à amiga demitida* "podia ser pior, eu podia estar com uma olheira como a dela, santo Deus", *que é olhada pelo crítico musical* será que ela, será que essa mulher desconfia que eu sou uma fraude?, *que se assusta no momento em que a voz do anúncio oficial* celulares e aparelhos eletrônicos, ou filmar e fotografar sem a prévia autorização. No programa a seguir, as suítes para violoncelo solo interpretadas pelo violoncelista britânico, *que caminha até o centro do palco e faz uma reverência sóbria enquanto é aplaudido pelo cara apaixonado pela amiga francesa* agora é foda, nunca sei a hora certa de aplaudir música clássica. Só vou aplaudir quando ela aplaudir, *e o senhor nonagenário* a primeira vez que vim a um concerto com Adelaide... que ano foi isso?, *enquanto o menino de nove anos* era só mais um pouquinho, eu tava quase matando o chefão *faz pirraça para a mãe na cadeira e chama a atenção da funcionária* começa logo pelo amor de Deus, minha mão já tá doendo de tanto rasgar ingresso, *que se lembra de seu filho que a essa hora deve dormir em sua casa, no exato instante em que as luzes da plateia começam a baixar e o violoncelista começa a tocar.*

O prelúdio da "Suíte para Cello nº1," de Bach, começa a soar.

E o homem de meia-idade talvez aqui fosse um bom lugar pra tudo terminar. Em silêncio, escutando esta suíte. Dormir, talvez sonhar..., *enquanto o velho* o rosto de Adelaide quando jovem, a pele rosada, as mãos pequenas, um fio de cabelo que cai frente aos olhos, o convite, a casa de chás na rua à direita... janeiro de 1949, *e a funcionária* um ônibus, outro ônibus, três quarteirões de caminhada e tirar este sapato e deitar no sofá e beijar meu menino, acho que ainda tem limonada, *e o crítico* o violoncelista britânico demonstrou uma execução virtuosa, tecnicamente irrepreensível, magnânima... magnífica... magnífica soa muito antiquado? Deve ter uma palavra menos empoeirada, *e o dono da voz* vai meu Timão, mostra quem é que manda, pra cima deles, vambora!, *e o jovem violinista* será que ele já morou de aluguel numa pensão vagabunda? Será que ele já tocou por uma merreca num boteco pra pagar a conta de luz? *e o menino* daqui a pouco eu vou ser grande e ninguém vai poder tomar de mim, e eu vou poder dar socos e chutes e chutes giratórios *e o cara* será que ela tá sentindo que eu tô encostando com a minha perna na perna dela? Acho que se ela não quisesse, ela já teria desencostado. Como é bom encostar na sua pele, meu Deus! Se você soubesse como eu quero te beijar, *e a amiga francesa* pourquoi tu ne m'embrasse pas?, *e o violoncelista* watch out... elbow... just one more arch... slowly... smooth..., *e a funcionária* um cafuné nos cabelos do meu menino, *e o crítico* será que eu vou me emocionar como me emocionei um dia?, *e a amiga divorciada* ainda bem que existe a música, *e a demitida* eles vão ver só quando eu der a volta por cima, *e o menino* será que vai demorar muito*? e o dono da voz* é GOL! CHUPA!, *e o violinista* eu tocando essas notas e a minha mãe me olhando emocionada da plateia, *e o velho* ela pousa a xícara sobre o pires, eu olho dentro de seus olhos e ponho a mão sobre a mão de Adelaide *e o cara* ai, meu Deus, vamos lá, pronto, peguei na sua mão... É isso mesmo? Você tá me olhando nos olhos? E agora?, *e o homem de meia-idade lendo no celular* "tio, É BENIGNO".

O prelúdio da "Suíte para Cello nº1", de Bach, se encerra.

E o violoncelista that was quite reasonable, I suppose.

O concerto termina. Aquelas pessoas estavam reunidas por uma razão, algo entre a perenidade da obra de Johann Sebastian Bach e o desejo de compartilhar um momento com uma multidão de desconhecidos, mas assim que esse recital se encerra a velocidade com que elas abandonam o auditório, embora algumas demorem-se um pouco mais, demonstra a precariedade do vínculo que as reunia. Na realidade, e isso é um grifo meu, se você olhar bem, todos os vínculos que se tem na vida são sempre um pouco precários. Os fios que nos conectam às pessoas que amamos e às coisas que fazemos. É exatamente como um fio, e, como um fio, pode ser facilmente rompido. Não sei, tô sendo muito chato?

3.

JANAÍNA: Pros outros não sei, mas pra mim, que já te ouvi falar disso umas duzentas vezes, um pouco... [*ri e abraça PEDRO*]

PEDRO: A gente já entregou o papel do estacionamento?

JANAÍNA: Já, tava na minha bolsa, lembra?

PEDRO: Ah, verdade.

Pausa.

JANAÍNA: Mas continua o que você tava falando, amor, aquele lance dos fios...

PEDRO: Não, era só uma sensação engraçada que eu tenho às vezes: num instante você tá na plateia de um concerto, um negócio assim, imponente. Três minutos depois você já tá ali esperando seu carro no valet, mascando chiclete, sabe?

JANAÍNA: Mas que que tem isso?

PEDRO: Nada, besteira, eu disse que não era nada de mais.

Silêncio. Ela faz carinho no cabelo dele.

PEDRO: Nossa, vai demorar pra chegar o carro com esse tanto de gente.

JANAÍNA: É, vai mesmo.

Pausa curta. Ela repara em alguém e puxa assunto.

JANAÍNA: E aquele cara ali, que que ele faz?

PEDRO: Ah, não, esse jogo de novo, não!

JANAÍNA: Ah, vai!

PEDRO: Esse jogo é muito chato.

JANAÍNA: Vai, aquele cara ali!

PEDRO: [*meio com preguiça, a contragosto*] É contador.

JANAÍNA: Boa. Contador. Contador e filho de contador, porque trabalha no mesmo escritório que o pai. Ele ganhou ingresso porque o pai faz a contabilidade do diretor-geral da orquestra.

PEDRO: Faz sentido. [*pausa*] E aquelas duas senhoras ali?

JANAÍNA: Finas, né? Uma é professora universitária, divorciada, já botou o marido na cadeia porque ele não pagou pensão alimentícia.

PEDRO: Nossa, que dramática.

JANAÍNA: Dá licença, deixa eu brincar. A outra é psicanalista junguiana, tá comentando de um caso que ela tá... [*muda o foco da atenção*] Ai, olha que fofo aquele casalzinho?!

PEDRO: A beleza da juventude, né?

JANAÍNA: Primeiro encontro, com certeza. Acabaram de decidir o restaurante que eles vão.

PEDRO: Ele estuda publicidade, ela acho que... nutrição?

JANAÍNA: Nutrição. Boa. Carboidrato no jantar, então, nem pensar. Olha lá, chegou o carro deles.

PEDRO: Olha ele abrindo a porta do carro pra ela, que fofo.

JANAÍNA: Nossa, que saudade disso. Daí ele vai fazer mais uma piadinha pra quebrar o gelo, ela vai botar o endereço do restaurante no aplicativo e falar pra ele virar à esquerda.

PEDRO: Daí, esquerda de novo.

JANAÍNA: Eles vão parar no semáforo e vai ficar aquele clima: será que a gente se beija agora, será que espera chegar ao restaurante?

PEDRO: Mas logo o semáforo vai abrir, esquerda de novo e eles já vão estar na rua do restaurante.

JANAÍNA: Nossa, que rápido. Bom, eles escolheram um lugar bem perto, dava pra ter ido a pé. O restaurante tem uma decoração meio anos noventa, tem um aquário, o garçom é um negro alto, bonito, que vem trazer a... como chama?

PEDRO: Carta de vinhos?

JANAÍNA: Isso!

PEDRO: Ele fala com um português meio carregado, eles vão ficar curiosos pra saber de onde ele é, vão perguntar e ele vai dizer que é de Moçambique.

Pausa. JANAÍNA comemora muito e abraça Pedro.

JANAÍNA: VOCÊ É MUITO BOM NESSE JOGO!

PEDRO: [*tentando se desvencilhar*] Para, me solta, continua.

JANAÍNA: Moçambique. Ótimo. Então eles ficam superinteressados na história desse cara, então ele conta um pouco dos costumes da vida dele na aldeia onde ele morava.

PEDRO: Daí eles reparam que ele tem uma cicatriz na mão e perguntam como ele fez.

JANAÍNA: Então ele responde: "EU NÃO QUERO FALAR SOBRE ISSO."

Pausa.

PEDRO: Climão.

JANAÍNA: Fecha o tempo, total.

PEDRO: Eles são curiosos e insistem: "Mas que que tem de mais, a gente só fez uma pergunta à toa..."

JANAÍNA: "É, só uma pergunta besta, que que tem..." "EU NÃO QUERO FALAR SOBRE ISSO! Meu pai me ensinou a ter respeito com os outros."

PEDRO: Então esse garçom se lembra de um dia em que ele estava na mesa com o pai, o irmão e a mãe, quando ele tinha uns dez anos de idade.

JANAÍNA: Tava todo mundo em silêncio comendo com medo, sem dizer uma palavra, porque o pai é muito bravo.

PEDRO: Então eles terminam de comer nessa casa muito pobre que eles moram, tiram os pratos da mesa. Ele pede a bênção ao pai, vai até o seu quarto e bate a porta. Só que nesse dia ele não fica no quarto. Ele pula a janela e vai se encontrar com a namorada atrás da igreja do vilarejo onde eles moram.

JANAÍNA: Ela tá usando o vestido mais bonito que tem e um colar de pedras que a mãe fez pra ela.

PEDRO: Eles dão as mãos, se escondem, e ele diz a ela:

4.

MENINO: Vamos fugir!

MENINA: Você enlouqueceu?

MENINO: Você não entende. Isso que alguém disse que é a vida é a morte. A vida de verdade é longe daqui.

MENINA: Eles vão nos matar.

MENINO: [*põe a mão dela em seu peito*] Tá sentindo? Escuta bem esse som e me escuta. A gente precisa achar algum lugar bem longe daqui, onde a gente possa nascer.

MENINA: Você não entende? Nós não temos nada.

MENINO: É você que não entende. Nós temos a maior coisa que se pode querer: você tem a mim e eu tenho você. Do que mais podemos precisar? Juntos, nós somos uma multidão.

MENINA: Se eu pudesse, nascia de novo e te dava minha alma outra vez. Essa que eu tenho, que já é sua, ainda é muito pouco.

MENINO: Eu tenho um plano.

JORNALISTA: ...prática muito comum em vários países da África, e realizada também na península Arábica e em zonas da Ásia.

NARRADOR: Vai abrindo uma grande distância para o segundo colocado, faltando menos de um quilômetro para a linha de chegada.

MENINA: Um plano?

NARRADOR: ...corre com elegância, com passadas largas, cada vez mais próximo da vitória.

JORNALISTA: ...tradição condenada pela Organização Mundial de Saúde, amplamente repudiada em recente assembleia da ONU.

MENINO: Espera todos dormirem. Separa algumas roupas, quase nada, alguma fruta, o que tiver na sua casa.

JORNALISTA: ...considerada uma forma inaceitável e ilegal da modificação do corpo...

NARRADOR: ...uma vitória da garra, do talento, da determinação.

MENINA: E se eles acordarem?

NARRADOR: Ele está prestes a vencer a Maratona de Boston.

JORNALISTA: ...prática conhecida como mutilação genital feminina.

MENINO: Não se esqueça: à meia-noite, em frente à sua casa.

MULHER: Então eles dormiram e eu pisei pé ante pé. Cautela. Medo que escutassem meu coração acelerado e despertassem do sono leve. Cada pé, um pouco mais livre. Cada vez mais perto, a porta. Cada vez mais perto, a rua. Cada pé, mais rua que casa. A mão na maçaneta. A porta range. A voz do meu pai: "Onde você pensa que vai?"

MARATONISTA: Eu ouvi um grito vindo da casa e só consegui correr.

JORNALISTA: ...incisão feita muitas vezes com instrumentos cirúrgicos inapropriados como cacos de vidro ou estiletes.

NARRADOR: Ele que começou a correr no início da adolescência no seu vilarejo em Moçambique.

JORNALISTA: ...podendo levar a traumas irreversíveis ou até mesmo à morte.

NARRADOR: ...e ele cruza a linha de chegada.

A MENINA solta um grito lancinante.

MARATONISTA: Depois daquele dia, nós nunca mais nos vimos.

REPÓRTER: Vamos ouvir uma palavra do vencedor da maratona. Qual o segredo de um corredor campeão?

MARATONISTA: Acho que isso é simples: querer partir. Basta nunca querer ficar onde se está e querer sempre se distanciar de todos os lugares que existem, o tempo todo.

REPÓRTER: O vencedor da maratona recebeu o troféu das mãos do prefeito e já adiantou que com o dinheiro do prêmio pretende ajudar sua família, que ainda mora na aldeia em que nasceu, na África. Ele segue agora para a Maratona de Punta del Este, e depois encerra o calendário de provas numa corrida de rua em Viena. Sara Miller, direto da Maratona de Boston.

ÂNCORA MASCULINO: Obrigado, Sara. Interrompemos nossas notícias para um pronunciamento extraordinário do presidente da República.

ÂNCORA FEMININO: Já estamos aí com imagens da sala de conferências do palácio presidencial. Vemos ali o presidente tomando seu lugar, ele comenta algo com seu porta-voz, a seu lado o ministro da Saúde, ali também a primeira-dama... Cumprimenta a tradutora simultânea... Agora ele já está se posicionando, vamos ouvir...

5.

PRESIDENTE: Caros cidadãos, cidadãs, amigos, amigas, é do conhecimento de todos que estamos vivendo um momento delicado. Todos vocês têm acompanhado, com certa apreensão, acredito, as notícias do surgimento de uma mutação do vírus da gripe, epidemia que se originou no norte da Ásia e atingiu e vitimou alguns de nossos cidadãos, e aqui eu torno a oferecer as minhas condolências às famílias que perderam seus entes queridos. Venho, portanto, na condição de comandante deste Estado-nação, com a missão de tranquilizar a população, noticiar que todos os esforços estão sendo feitos para erradicar esse vírus, assegurando a todos os nossos cidadãos de bem a chance de conduzirem normalmente suas vidas, salvaguardados em seus momentos de trabalho, lazer e descanso.

TRADUTORA: Neste momento, a palavra "descanso" desencadeia na cabeça do presidente uma lembrança de um quadro figurativo medíocre de um sujeito deitado embaixo de suas cobertas, dormindo com um sorriso no rosto. Ao pé da cama, um cachorro que dorme enrodilhado. Dali por diante, toda vez que ouve a palavra "descanso", é essa a imagem que lhe vem à mente.

PRESIDENTE: Venho também com a missão de pedir a cada um de vocês que adote alguns procedimentos simples, medidas preventivas que serão de grande auxílio no combate a essa enfermidade.

TRADUTORA: O presidente repara na jornalista loura de cabelos curtos, sentada à sua frente, e repara que ela tem muito medo no olhar.

PRESIDENTE: Essas medidas serão anunciadas em instantes por nosso ministro da Saúde e deverão ser anotadas e implementadas por todos os cidadãos enquanto perdurarem estes momentos de combate.

TRADUTORA: Ele se lembra da filha adolescente, que ele encontra num corredor do palácio presidencial. Neste momento eu peço licença para fazer a filha: "Pai, quanto tempo isso vai durar?"

PRESIDENTE: Não há motivo para pânico: estamos certos de que com a união dos esforços...

TRADUTORA: "Isso é grave?"

PRESIDENTE: ...e a colaboração de todos os nossos cidadãos...

TRADUTORA: "Essa epidemia é grave, pai?"

PRESIDENTE: ...seremos bem-sucedidos em erradicar essa doença...

TRADUTORA: "Fala a verdade pra mim!"

PRESIDENTE: EU NÃO SEI!

Pausa longa.

TRADUTORA: Se o presidente continuasse falando, ele certamente diria que é uma situação como essa, de aparente desordem, que pode ajudar a criar uma união sem precedentes entre os cidadãos do país.

PRESIDENTE: Eu gostaria de saber essa resposta com exatidão e de ter a certeza de que está tudo sob controle, mas eu realmente não sei e isso é tudo que eu tenho para o momento.

TRADUTORA: É um bom momento para relembrar que na escrita chinesa a palavra "crise" é composta por dois ideogramas: o ideograma perigo e o ideograma oportunidade.

PRESIDENTE: A vida é uma engrenagem muito frágil.

TRADUTORA: E que se nesta crise estamos diante de um perigo concreto...

PRESIDENTE: Você tá vendo como é precário?

TRADUTORA: ...estamos também diante de uma grande oportunidade...

PRESIDENTE: Pode desmoronar a qualquer momento.

Cacofonia, todos falando ao mesmo tempo.

TRADUTORA: Sem esmorecer, sem desistir jamais.

O PRESIDENTE vai, aos poucos, desconstruindo seu porte, terminando a fala como uma criança.

PRESIDENTE: Porque qualquer detalhe, qualquer parafuso solto... e se de repente ficar tudo escuro... e se no dia seguinte continuar tudo escuro... Pai, promete que posso ficar abraçado com você até a luz voltar?

TRADUTORA: Por que a vida é frágil, mas é bonita! Porque é como diz aquele poema:

6.

Uma criança visita o planetário.

Está sem os dois dentes de leite,

os bem da frente:

tem janelinhas,

no planetário.

Segura a mão,

de pai e mãe,

aperta os olhos.

Adentra a enorme sala escura

do planetário,

pisando em ovos.

Olhando o brilho de estrelas mortas de boca aberta

— com janelinhas.

De nebulosas,

de supernovas

e de quasares.

De sermos um

entre bilhões

de milhões

de milhares.

Mas o ruim é que, ao compreender, fica mais aflito

com a noção sobrenatural do que é o infinito.

Algo que não se mede, que nunca acaba, que não se explica,

que nunca para de sentir mais frio na barriga

no planetário.

Foi emoção demasiada pra uma criança de sete anos

— com janelinhas —

essas noções de buracos negros, de finitude e insignificância,

palavras todas que nem conhece, mas que alcança

porque as sente já alojadas na sua espinha.

E aperta a mão do pai e da mãe,

quer ir embora.

E os pais, siderados

e fascinados:

"Mas logo agora?"

Não entendem nada, mas obedecem,

que o filho chora.

De volta ao carro, indo pra casa,

essa criança vê que o banco

em que está sentada

se mede em palmos;

que a distância do planetário até sua casa

é de dez minutos;

que seus dois gatos que a esperam em casa

têm quatro patas;

que no batente da porta da cozinha

há várias marcas feitas a lápis

que o seu pai faz

sempre que mede a sua altura

que está aumentando

e aumentando.

E pouco a pouco já vai passando

o frio na espinha

e ela dorme.

Sonha com jogos de futebol

e com uma menina,

sem se dar conta

de que o infinito do Universo

está contido nas janelinhas.

E quando acorda

e vai pra escola,

já nem se lembra

do planetário.

CRIANÇA: Vamos brincar de telefone sem fio?

7.

• Fabrício, nove anos, sussurra no ouvido de Milena, oito: "O barulho do trovão assustou o meu cachorro."

• Milena diz para Lavínia, oito: "O barulho do trovão assustou meu cachorrinho."

• Lavínia para Pedro, nove: "O barulho do trovão assustou meu cachorrinho."

• Pedro para Natália, onze: "O barulho do povão assustou meu cachorrinho."

• Natália para Maria Paula, sua professora, quarenta e três anos, durante a apresentação do seminário: "O barulho do povão bem no meio do caminho."

• Maria Paula para Jorge, seu marido, quarenta e quatro: "O barulho do fogão cê ouviu, meu amorzinho?"

• Jorge para Wallace, vinte e sete, da assistência técnica do fogão: "O barulho do fogão, cê consegue dar um jeitinho?"

• Wallace para Adamastor, motorista do carro ao lado, sessenta e um: "Vai fechar a sua mãe, seu velho filho da puta!"

• Adamastor para Carla, sua filha, vinte e seis, ao telefone: "Vai bater na minha cara o telefone, minha filha?"

• Carla para Sapólio, seu cafetão, trinta e três: "Não bate na minha cara, caralho, tenho família."

• Sapólio para Paranhos, policial militar, trinta e nove: "Não bate na minha cara, seu guarda, tenho família."

• Paranhos para Tavares, colega policial, quarenta, em meio a uma passeata: "O barulho do povão bem no meio do caminho."

• Tavares para Arthur, manifestante, vinte e cinco: "O barulho do trovão assustou o cachorrinho?"

• Arthur para Elisa, trinta e um, repórter de televisão: "O barulho do povão vai abrir novos caminhos!"

• Elisa para Gereba, cinquenta e dois, câmera de televisão: "Se eu consigo a promoção, vou abrir novos caminhos."

• Gereba para Álvaro, diretor da emissora de TV, quarenta e três: "Se eu consigo a promoção, vou sair pra um chopinho."

• Álvaro para Lucia, entrevistadora, trinta e três: "Terminando a gravação, cê aceita um chopinho?"

• Lúcia para Maurílio, o entrevistado, trinta e nove: "Você tem um grande sonho?"

8.

MAURÍLIO: Ah, quem não tem, né, Lu? Eu acho engraçado isso, as pessoas acham que os artistas são pessoas diferentes, mas não, a gente é igual a qualquer ser humano, cheio de sonhos, anseios, frustrações. Agora, grande sonho? [*pensa*] A paz no Oriente Médio.

II. O OUTRO

LUCIA: Nossa, com certeza, vamos deixar aqui nossas boas energias, nossos bons fluidos, pra que se resolva essa questão do Oriente Médio, que é sempre tão complicada. Agora me diz, como que é o Maurílio em casa?

MAURÍLIO: Casa pra mim é tudo, né? Sou bem caseiro, gosto de fazer uma comidinha, abrir um vinho, ver filme em casa, fazer um jantarzinho pros amigos...

LUCIA: Você cozinha?

MAURÍLIO: Adoro.

LUCIA: Que luxo!

MAURÍLIO: Faço um camarão na moranga de comer ajoelhado.

LUCIA: Nossa senhora, quero ser convidada.

MAURÍLIO: Mas já tá mais que convidada, é só escolher o dia e tá marcado.

LUCIA: Olha que eu vou, hein?

MAURÍLIO: É pra vir mesmo.

Riem.

LUCIA: Bom, você, um artista famoso, premiado, célebre...

MAURÍLIO: Ah, para, assim eu fico encabulado...

LUCIA: Mas não é?

MAURÍLIO: Ah, acho que sou.

LUCIA: É mesmo, tem que falar. Mas como é pra você essa questão do assédio, tanto do público quanto da imprensa?

MAURÍLIO: Ah, Lu, eu não vou ser hipócrita de dizer que não acho bacana, né? Porque é um reconhecimento do trabalho, então eu acho gratificante a pessoa te parar na rua, muitas vezes eu escuto "pô, Maurílio, conhecer seu trabalho mudou minha vida", e é supegratificante mesmo. Agora, acho que tem que ter respeito, né? A liberdade de um começa quando termina a liberdade do outro, sabe?

LUCIA: Quando te incomoda, por exemplo?

MAURÍLIO: Ah, incomoda quando é no restaurante e eu tô comendo, por exemplo, e a pessoa vem pedir uma selfie. Ou quando eu tô curtindo minha balada na paz e fulano vem tirar foto sem minha permissão. Aí eu acho um pouco demais. Mas fora isso, acho ok.

LUCIA: Vi que você falou em balada. Você sai bastante?

MAURÍLIO: Ah, quem não gosta de uma boa balada, né? Eu não vou mentir de dizer que não gosto, não, eu gosto bastante.

LUCIA: Mas você falou que é bem caseiro.

MAURÍLIO: Também.

LUCIA: Bem caseiro e bem baladeiro?

MAURÍLIO: Opa!

LUCIA: O homem tá em todas, que loucura! E família: o que é família pra você?

MAURÍLIO: Ah, família é tudo na minha vida. É o ar que eu respiro, o chão que eu piso, a terra que eu adubo. É tudo na minha vida.

LUCIA: E família, o que é?

MAURÍLIO: Um bando de urubu querendo minha grana.

LUCIA: Família?

MAURÍLIO: Proparoxítona?

LUCIA: E você pensa em ter filhos, em formar sua própria família?

MAURÍLIO: Ah, quem não pensa né, Lu? Tomara que aconteça em breve.

LUCIA: E quantos filhos você planeja ter?

MAURÍLIO: Nenhum.

LUCIA: Você começou a carreira bem jovem. Quando você olha pro começo da sua carreira você acha que mudou muito?

MAURÍLIO: Ah, demais. Eu era outra pessoa. Muito mais ansioso, mais imaturo...

LUCIA: E agora?

MAURÍLIO: Agora eu sou muito mais triste, mais cansado, agora eu quero que tudo vá pra puta que pariu.

LUCIA: Como que é isso?

MAURÍLIO: Ah, sorrisão na cara, sempre de bom humor, sempre curtindo a vida, que é a única coisa que a gente pode fazer.

LUCIA: E como você se definiria nesse momento?

MAURÍLIO: Ah, mais mulher, com certeza. O corpo muda, o peito cresce, normal.

LUCIA: Vamos fazer uma brincadeira? Se você pudesse escolher outra pessoa que você gostaria de ser no mundo, quem você escolheria?

MAURÍLIO: Eu mesmo.

LUCIA: Você?

MAURÍLIO: Eu, não!

LUCIA: Então quem foi?

MAURÍLIO: O Gustavo.

LUCIA: E como que é o Gustavo?

MAURÍLIO: Ah, o Gustavo é bem caseiro, gosta de fazer a comidinha, abrir um vinho, ver um filminho em casa...

LUCIA: Ele cozinha?

MAURÍLIO: Adora!

LUCIA: Que luxo!

MAURÍLIO: Faz um camarão na moranga que é de comer ajoelhado.

LUCIA: Nossa, eu quero muito ser convidada.

MAURÍLIO: Pode vir, tá mais que convidada. [*gargalha*]

LUCIA: Vamos supor que eu sou o Gustavo. O que você diria pra mim?

MAURÍLIO: [*pausa*] Pô, Gustavo, que surpresa boa, por que você não me avisou que vinha? Cê tem pó?

LUCIA: Maurílio por Maurílio?

MAURÍLIO: Um cara lutador e determinado, que não descansa enquanto não atinge seus objetivos.

LUCIA: Errado.

MAURÍLIO: Um cara que bate em mulher e criança sem culpa ou arrependimento.

LUCIA: Não.

MAURÍLIO: Um sujeito que ama a vida acima de tudo.

LUCIA: Próxima.

MAURÍLIO: Apenas um homem na frente de uma mulher, esperando que ela corresponda ao seu amor.

LUCIA: Melhor. Vamos terminar com uma frase?

MAURÍLIO: Posso falar uma da peça que eu tô fazendo?

LUCIA: Claro.

MAURÍLIO: "Moço, por favor, me vê duzentas e cinquenta gramas de presunto magro?"

Pausa longa.

LUCIA: Maravilhoso! [*para a câmera imaginária*] Tá gostando do papo? Eu tô amando. A gente vai pra um intervalo rápido e já volta com muito mais do Maurílio Moraes. Você: não saia daí. Ei! Você? Por que cê ta levantan... Terceira vez que eu falo e você vai saindo? Onde cê vai?

9.

LUCAS: Bom dia, Rose.

ROSE, O GPS: Bom dia, vamos começar?

LUCAS: Claro que sim, Rose, você é quem manda.

ROSE: Em duzentos metros, vire à direita, na rua das Quaresmeiras.

LUCAS: Bora.

ROSE: Vire à direita, na rua das Quaresmeiras.

LUCAS: Rua das Quaresmeiras, pronto.

ROSE: Em seiscentos metros, faça a conversão à esquerda, na rua Istambul.

LUCAS: Vamo lá, Istambul. Será que vai dar pra pegar esse farol? Não deu. Também o pessoal dirige como se tivesse levando uma carroça. Aí fica difícil. Abriu. Pode continuar, Rose.

ROSE: Vire à esquerda, na rua Istambul.

LUCAS: Esquerda na Istambul, belezinha!

ROSE: Prepare-se para manter-se à direita em novecentos metros.

LUCAS: Eu acho muito bonitinho quando você fala "prepare-se para manter-se", em vez de só "mantenha".

ROSE: Prepare-se para manter-se à direita em seiscentos metros.

LUCAS: Hahaha. Fofa. [*boceja*] Nossa, tô com muito sono, fiquei até tarde vendo um filme ontem. Um filme romântico, bonito. Me lembrou um pouco um outro que eu vi com a Júlia no cinema.

ROSE: Em cento e cinquenta metros, faça o retorno antes dessa lembrança.

LUCAS: Retorno, não, Rose, seu mapinha tá dizendo pra ir em frente, olha aqui, tô vendo. Mas o que eu tava falando? Ah, do filme. Parecia aquele outro que eu vi com a Júlia. A gente viu no cinema, numa quarta à tarde que ela tirou folga do trabalho.

ROSE: Novo cálculo de rota.

LUCAS: A Júlia era engraçada. Uma pena que vocês não se conheceram. Ela tinha um senso de humor e um olhar doce, sabe?

ROSE: Em cem metros, entre à esquerda, em alguma esquina do passado.

LUCAS: E ela realmente gostava de mim. Pelo menos, gostou por um bom tempo. A gente namorou quase seis anos.

ROSE: Em cem metros, faça a rotatória na praça da Melancolia.

LUCAS: Antes de ela ir embora com aquele boçal e ter dois filhos com ele.

ROSE: Em dois minutos, entre numa crise de choro.

LUCAS: O problema não é ir embora, entende? O problema é ir embora depois de tudo que a gente passou junto, depois de todos os planos que a gente fez, a gente fez plano pra caralho... Depois de todas as quartas à tarde que a gente passou abraçado no cinema.

ROSE: Prepare-se para manter esta ilusão pelos próximos dez anos.

LUCAS: Eu às vezes fico pensando onde ela pode estar agora.

ROSE: Novo cálculo de rota.

LUCAS: A gente transava tão gostoso. Rolava uma química muito boa na cama, que nunca rolou com mais ninguém.

ROSE: Encoste à direita e recolha sua dignidade junto à guia.

LUCAS: O corpo dela, sabe, era como se fosse meu santuário, e agora o meu santuário é um lugar que eu não posso acessar, entende? Que só outro homem tem a chave.

ROSE: Dirija a esmo, afinal todas as ruas são todas iguais.

LUCAS: Por que será que tudo que eu dei a ela ainda não foi o bastante?

ROSE: Faça uma conversão brusca à esquerda, na rua da Felicidade.

LUCAS: Mas é contramão, Rose!

ROSE: Faça um esforço maior para compreender metáforas óbvias.

LUCAS: Eu não sei se eu sou capaz, Rose.

ROSE: Em frente àquele prédio, encoste o carro.

LUCAS: Aqui?

ROSE: Sim. [*pausa*] Na próxima encarnação, faça uma conversão ao zen-budismo e exercite o desapego. É um universo hostil, eu sei. O dia está ensolarado, mas você está impermeável à luz e à claridade porque dentro de você está escuro. Eles te disseram que era só repetir "eu posso" cinco vezes bem forte que tudo se resolveria, mas era mentira. Acostume-se: agora vai ser você e essa dor, e você vai levar essa dor pra todos os lugares. Lentamente, recomponha-se e torne a dar a partida no seu carro.

LUCAS: Tá certo, Rose. Você tá certa.

ROSE: Em cem metros, vire à direita.

LUCAS: Ok, direita.

ROSE: Você está prestes a chegar ao seu destino.

LUCAS: Que forte isso, Rose! Chegar ao meu destino. Será que é essa a resposta?

ROSE: Você chegou ao seu destino.

LUCAS: Aqui?

10.

EUGÊNIO: Eu fui trocar uma camiseta que eu tinha ganhado no amigo secreto no Natal.

ULISSES: Eu tinha acabado de assistir a *Velozes e furiosos 12*, no cinema.

EUGÊNIO: Como domingo é um dia muito cheio, fiquei rodando uns dez minutos no estacionamento do shopping sem encontrar vaga.

ULISSES: Então eu saí, tomando meu sorvete de casquinha mista de chocolate e baunilha, que eu adoro, caminhando pelo estacionamento até o meu carro.

EUGÊNIO: Eu vi esse cara vindo e pensei: "Ele vai sair, eu pego a vaga dele."

ULISSES: Eu vi um carro azul me seguindo, provavelmente atrás da vaga que eu deixaria pra ele. O insulfilm não deixava ver muito bem o rosto do motorista.

EUGÊNIO: Era um sujeito peculiar: um gordinho, meio baixo, de bermuda e camiseta, comendo um sorvete de casquinha, andando sem nenhuma pressa, mesmo depois de perceber que eu queria a vaga dele.

ULISSES: Eu dei a última mordida na minha casquinha, liguei o carro e parti.

EUGÊNIO: Foi instintivo, entende? Eu não sei dizer por que, assim que ele saiu, eu não estacionei. Eu fui atrás dele.

ULISSES: Uns cinco minutos depois, eu cheguei ao meu prédio.

EUGÊNIO: Eu estacionei em frente ao prédio dele ainda sem ter a menor ideia do que estava fazendo ali.

ULISSES: Eu me lembro de ter ido fumar na janela e pensar: "Nossa, esse carro estacionado lembra aquele do estacionamento do shopping."

EUGÊNIO: Quando amanheceu, eu liguei pro meu chefe e disse que estava com toxoplasmose.

ULISSES: Eu me arrumei e saí pro trabalho.

EUGÊNIO: Eu vi ele passar pela portaria do edifício onde trabalha e entrei logo em seguida a tempo de ver o marcador do elevador apontar o terceiro andar.

ULISSES: Eu lembro de já ter visto a cara daquele cara que entrou no escritório.

EUGÊNIO: Na saída do elevador, o letreiro anuncia: Imobiliária Amaro Lopes. "Eu queria ver apartamentos de dois quartos", eu digo pra moça da recepção, pra ganhar tempo. "Na verdade, eu já falei com aquele rapaz ali, aquele gordinho". "Quem, o Ulisses?", ela pergunta. "Isso, o Ulisses."

ULISSES: Cê já viu esse cara aqui, ô Jair? O Jair responde: "Nunca vi mais gordo. Por quê? Tá interessado?" O Jair ainda faz essa piada.

EUGÊNIO: "Nossa, desculpa, eu acabei de perceber que eu tô superatrasado pra buscar minha filha na hidroginástica", eu invento qualquer desculpa e volto pro prédio dele.

ULISSES: Eu penso que deve ser só impressão minha e que eu tô precisando de férias.

EUGÊNIO: Eu digo pro porteiro: "Eu sou amigo do Ulisses, ele deixou algum envelope pra mim?" "Seu Ulisses do setenta e dois?" "É, do setenta e dois." "Não deixou nada aqui." Ah, Ulisses, sempre esquecido.

ULISSES: Eu sigo minha vida normalmente.

EUGÊNIO: Eu sei onde ele almoça, a praça em que desce pra fumar, para que time que ele torce. Eu fico amigo do motorista de táxi que leva ele às quintas, porque quinta-feira é o dia do rodízio. Descubro onde mora a mãe dele, num sobradinho ali na Vila Sônia.

ULISSES: Várias vezes eu vejo um vulto familiar e penso que é o vulto das minhas férias me espreitando.

EUGÊNIO: Eu digo que sou da telefônica, ela me chama pra tomar um café e me conta várias histórias da infância do Ulisses. O dia em que ele fez a primeira comunhão e espirrou na hora que o padre ia colocar a hóstia na boca dele. Do primo do interior, com quem ele capotou o carro voltando de uma festa, quando era adolescente. Do corte que ele fez na cabeça quando era criança e foi brincar de super-herói em cima da mesa da sala. Essa cicatriz dá pra ver até hoje.

ULISSES: Como assim? Do que cê tá falando, mãe? Que cara da telefônica disse que me conhece?

EUGÊNIO: Oba, beleza? Eu vou no setenta e dois, no Ulisses. Nem precisa interfonar, eu quero fazer surpresa.

ULISSES: Pela janela, eu o vejo cruzando a portaria e a conexão inteira se faz: o cara do shopping, o sujeito na recepção da imobiliária, o vulto das minhas férias...

EUGÊNIO: Eu aperto o botão número 7.

ULISSES: Eu ligo pra polícia e atende uma gravação.

EUGÊNIO: Eu toco a campainha.

EUGÊNIO e ULISSES se encontram. Encaram-se longamente, olhos nos olhos. Pausa longa.

ULISSES: Quem é você?

EUGÊNIO: Eu sou o Eugênio, Ulisses.

ULISSES: Quê que cê quer de mim?

EUGÊNIO: [*pausa*] Eu não sei.

ULISSES: Como não sabe? Você tá me seguindo desde aquele dia no shopping, há um mês.

EUGÊNIO: Na verdade são três semanas.

ULISSES: Que seja, três semanas. O que é que você quer de mim?

EUGÊNIO: Essa cicatriz não dá pra ver de longe.

ULISSES: Eu perguntei o que você quer de mim?!

EUGÊNIO: Eu realmente... não sei.

Pausa longa.

ULISSES: Então é isso?

EUGÊNIO: Acho que é.

ULISSES: Então, estamos conversados?

EUGÊNIO: Acho que sim.

ULISSES: Então eu vou indo, com licença, passar bem.

EUGÊNIO: Espera.

ULISSES: O quê?

EUGÊNIO: Tudo bem se eu colocasse essa camerazinha ali?

ULISSES: Camerazinha?

EUGÊNIO: É, uma bem pequeninha, nem vai te incomodar. É só pra eu poder saber que tá tudo bem.

ULISSES: Que tá tudo bem?

EUGÊNIO: É. Que tá tudo bem.

ULISSES: Uma na sala, uma na cozinha, uma no lavabo. Duas no quarto, uma na lavanderia, uma na sala de TV.

EUGÊNIO: Duas na mesa do trabalho, uma na entrada do prédio, uma na casa da mãe dele e algumas estrategicamente colocadas em ruas pelas quais ele passa nos trajetos mais usuais.

ULISSES: E uma portátil, que eu às vezes aciono quando vou pra um lugar muito diferente do habitual.

EUGÊNIO: E assim, não me pergunte por quê, eu fico mais tranquilo de saber que ele está comigo.

Mas talvez não seja a hora adequada para essa história, eu compreendo que estamos num momento delicado. Eu já terminei minha parte, vou deixá-los a sós. Com licença.

11.

JUCA: Obrigado, doutor. Ô, Barney. Meu companheirão. Você sempre foi o melhor amigo que eu pude ter. Nesses quinze anos que a gente passou junto você não foi só um cachorro, você foi um irmão que eu escolhi. Você é uma parte gigantesca de mim que tá indo embora, e é por isso que eu tô com você até o final, meu amigo. Eu trouxe aqui aquele ossinho de borracha e esse outro brinquedinho que faz "fif, fif", que você tanto amava, pra passarem os últimos momentos aqui com você. [*pausa*] Eu queria te dizer outra coisa, meu amigão. Eu fiz um quadro, com aquela foto nossa de quando nós fomos à praia, emoldurei e gravei seu nome — Barney. E vou colocar bem no meio da sala, em cima da lareira, pra todo mundo ver o amigão que você vai ser pra sempre.

BARNEY: [*com a voz frágil*] Não faça isso.

JUCA: O quê?

BARNEY: Se você quer me homenagear, não faça isso.

JUCA: Como?

BARNEY: Esse nome, Barney. Eu não me identifico, entende? Nunca me identifiquei. Tem essa coisa provinciana de dar nome anglo-saxão para bicho de estimação que eu acho triste, melancólico quase. Então, assim, eternizar isso? Acho errado. Eu agradeço, mas prefiro que você não estampe essa palavra do lado da nossa foto pra todo mundo ficar lembrando desse nome. Porque é uma coisa arbitrária, vem um nome na sua cabeça e você carimba na testa do outro. Isso e outras coisas: essa bolinha que faz "fif, fif", eu mordia porque eu queria estraçalhar, acabar com ela. Quando eu te dava, não era pra você jogar pra eu buscar, era pra você jogar fora, doar pra uma instituição de caridade, sei lá. Toda vez que você jogava e eu trazia de volta, não era pra você jogar de novo, era um jeito de dizer: "Toma de volta, eu não quero isso pra minha vida!"

JUCA: Puxa, Barney...

BARNEY: Eu entendo que isso vem de uma referência antiquada, que tem a ver com uma pedagogia antiquada, mas falta a humildade de se perguntar: "Será que é isso que ele quer? Será que é isso que é bom pra ele? O que ele acha?" Se colocar no lugar do outro. A ração, por exemplo, você já experimentou alguma vez? Com o perdão da expressão, mas o sabor daquilo era muito escroto. Um gosto de bueiro com água da chuva. Puxado, pra mim. Você ralhava, gritava, me deixava de castigo se eu comia o jornal ou o papel higiênico sujo do banheiro, mas era um recado: até papel higiênico sujo é melhor do que aquela ração que você me dava.

JUCA: Puxa, Barney, eu nunca imaginei, eu achei que eu tivesse fazendo o melhor pra você.

BARNEY: Eu sei, eu sei disso, Juca. Eu tenho certeza de que você tentou o seu melhor. Eu só queria que você me prometesse uma coisa.

JUCA: Fala.

BARNEY: Não coloca esse quadro com o nome Barney em cima da lareira. Isso não me representa. Se quiser deixar a foto, tudo bem, a foto eu acho fofa. Mas o nome, não. Promete?

JUCA: Prometo.

BARNEY: Muito obrigado. Você não sabe como eu fico aliviado de ouvir isso. [*pausa*] Sobre esse brinquedinho que faz "fif, fif", acho que você pode esterilizar e doar pra uma criança. [*pausa*] É bom pra jogos cognitivos. [*recosta-se, relaxa*]

JUCA: Já vai acabar, amigão. Já vai acabar.

12.

PROMOTORA: "Já vai acabar, amigão?", foi isso que você disse?

RÉU: Acho que foi isso. Ou foi alguma coisa parecida. "Já vai acabar, meu camarada." Ou: "Perdeu, colega." Alguma coisa assim.

PROMOTORA: E depois?

RÉU: Depois eu disse: "Agora não adianta vir com esses olhinhos assustados de gato angorá. Você sabe muito bem por que vai morrer, mas eu não me incomodo de dizer pela milésima vez — na verdade, vai ser um prazer, já que essa vai ser a última.

Você vai morrer pra aprender a não mexer no que é dos outros. Ninguém convidou você e essa sua gente imunda pra ficar emporcalhando a propriedade alheia, plantando suas ervas daninhas, espalhando suas crianças remelentas.

Você não tem capacidade de olhar pra uma cerca e entender que não pode cruzar uma linha, então eu vou ter que usar uma bala que também não sabe respeitar a fronteira da sua têmpora e vai logo querendo montar um acampamento no seu crânio.

Logo que isso acontecer, e é uma pena que você não vai estar aqui pra ver, vai acontecer um milagre, e toda aquela sua gente, que era cega para cercas, vai passar a ver. Um milagre que aquele seu Deus não é capaz de operar, mas essa simples espingarda é. Às vezes Deus existe tão depressa.

As coisas não começaram ontem. Esta propriedade é da minha família há mais de duzentos anos, foi do meu bisavô, do meu avô, do meu pai, e agora que ela é minha, olhe bem e me diga se eu tenho cara de otário pra deixar um filho da puta qualquer mexer no que é nosso, se eu vou deixar alguém amarrar as patas em cima do lugar onde pingaram as gotas do nosso suor e do nosso sangue? Tenho?

Você ficou enganando sua gente com essas histórias sobre igualdade e eu avisei pra você parar com a sua presepada. Avisei duas vezes e avisei que não ia haver terceira, então eu te digo: se nós somos mesmo iguais, então eu também estaria tremendo, e eu não estou. Eu também estaria com os braços erguidos, e eu não estou. Eu também estaria pálido de tanto medo, e eu não estou. Eu não sou você, meu camarada. Porque se eu fosse você, eu seria um homem morto."

PROMOTORA: E então, você atirou?

RÉU: Sim.

PROMOTORA: Quantas vezes?

RÉU: Três.

PROMOTORA: Três vezes no rosto?

RÉU: Sim.

PROMOTORA: Mas durante todo o tempo em que você falou com ele, o que ele disse?

RÉU: Ele não disse nada.

Irrompe o ORADOR.

ORADOR: Aquele homem morreu. Até ontem estava aqui, era um de nós, se abaixava para pegar coisas que caíam no chão, parcelava compras no cartão de crédito, franzia os olhos quando sentia a luz do sol batendo em seu rosto, era capaz de uma infinidade de pequenos gestos humanos. Agora, não mais. Aquele corpo cheio de terminações nervosas, músculos, sangue e ossos passou a ser apenas uma lembrança na cabeça de quem o viu em movimento. De todo modo, se há algum pensamento reconfortante pra esse momento, é a noção de que o apagar das luzes da vida de um homem é o fecho de um arco perfeito.

III. TRAVESSIA

ORADOR: É como se agora estivéssemos diante da tapeçaria da vida de um homem e pudéssemos admirar cada trama tecida. É como se essa tapeçaria começasse a se mover. É como se nessa ilusão de movimento assistíssemos a um filme. É como se os personagens desse filme pudessem saltar diante dos nossos olhos. É quase como se estivéssemos lá dentro, vendo como se movem, dizendo seus nomes, como se pudéssemos dizer...

13.

DORA e PEDRO PAULO no banheiro de sua casa, arrumando-se para sair.

DORA: Pedro Paulo!

PEDRO PAULO: Anda logo!

DORA: Já falei que tô só terminando de passar o rímel.

PEDRO PAULO: Depois não vai ficar reclamando que a gente tá atrasado, tô avisando.

DORA: Ai, Pedro Paulo, me deixa um pouco em paz, faz esse favor. Por que você já não me espera no carro?

PEDRO PAULO: Só vim passar meu desodorante, tô indo. Mas depois não vai reclamar, tô avisando.

DORA: Isso, vai indo, para de ficar me enchendo, vai!

/

PEDRO PAULO vai buscar o exame do tio no hospital.

MÉDICO: Você é quem?

PEDRO PAULO: Oi, eu sou o Pedro Paulo...

MÉDICO: Você é o que dele?

PEDRO PAULO: Eu sou sobrinho dele. É que ele ficou muito nervoso, ele achou melhor eu vir buscar o exame.

MÉDICO: Tô achando você um pouco pálido. Você quer sentar, quer uma água?

PEDRO PAULO: Não, não, eu só tô nervoso porque queria saber o resultado...

MÉDICO: Então pode ficar tranquilo. É benigno.

PEDRO PAULO: O quê? Jura? Puta que pariu! [*cumprimenta o médico*] Puxa, brigado, doutor.

O cumprimento vai avançando para um abraço, depois para um beijo no rosto, depois na boca.

/

PEDRO PAULO e VANESSA se atracando.

VANESSA: Ai, Pedro Paulo, que tesão!

PEDRO PAULO: [*ofegante*] Vamos pra algum lugar?

Tentam transar em toda superfície que encontram.

VANESSA: Cê tem camisinha?

PEDRO PAULO: Não.

VANESSA: Foda-se, vou te chupar.

/

PEDRO PAULO ajoelhado diante de seu filho, DANIEL.

PEDRO PAULO: Que que tá acontecendo, Dani?

DANIEL: As estrelas...

PEDRO PAULO: Que que tem as estrelas, filho?

DANIEL: Estão mortas.

PEDRO PAULO: Mas elas continuam brilhando, filho, você não tá vendo?

DANIEL: Um dia a gente também vai morrer.

PEDRO PAULO: Filho, filho, olha pra mim! Isso ainda vai demorar muuuuito tempo pra acontecer. Enquanto isso a gente tá aqui: você é o Daniel, eu sou o

Pedro Paulo, a gente tá no planetário. [*faz o gesto de tirar o nariz do filho*] Você tá sem nariz... quer ir embora?

DANIEL: Quero.

PEDRO PAULO: Com ou sem nariz?

DANIEL: Sem. [*pausa*] Mentira, com!

PEDRO PAULO: Então tá, vou devolver. Você quer ir andando ou quer ir no colo?

DANIEL: Andando.

PEDRO PAULO: Claro, porque você já é um meninão grande, né? [*levanta-se*]

DANIEL: Mentira, no colo...

/

PEDRO PAULO e DORA caminhando depois de estacionar o carro.

DORA: Ai, Pedro Paulo! Por que você tinha que estacionar longe desse jeito?

PEDRO PAULO: Já te expliquei que eu não vou gastar quarenta contos no valet.

DORA: Ah, legal, então o fato de que eu tô de salto alto não influi na sua decisão?

PEDRO PAULO: Escuta, Dora, foi você que comprou esses ingressos, por mim eu nem tinha vindo, tá bom? Agradecemos a compreensão. [*aponta o caminho*] É pra lá.

DORA: Não é, não, é pro outro lado.

PEDRO PAULO: Tô falando que é pra cá... [*percebendo que a mulher está com a razão*]

DORA: Ai, Pedro Paulo, você também, vou te contar. É pra cá, olha.

Começam a caminhar na direção oposta.

/

PEDRO PAULO olhando um amplo apartamento na companhia de ULISSES, o corretor de imóveis.

ULISSES: Olha só, doutor Pedro Paulo, esta aqui é a sala, que é superampla, como você pode ver, tá em ótimo estado, aqui tem esse móvel multiuso para o senhor se entreter, o piso é original. Apartamento dessa metragem com esse preço, você não vai encontrar igual. Ainda mais com essa localização, a uma quadra do metrô.

PEDRO PAULO: [*interrompendo o fluxo*] Opa, sabe o que é, desculpa, esqueci seu nome...

ULISSES: Ulisses.

PEDRO PAULO: Sabe o que é, Ulisses? Eu tô achando aqui grande demais pra mim. Eu tô sozinho no momento, não tem necessidade de um apartamento desse tamanho.

ULISSES: Imagina, doutor Pedro Paulo, num instante você se acostuma. Fora que tem o seguinte: [*fala mais baixo, como quem conta um segredo*] se você tá sozinho, esta sala é perfeita pra dar uma boa festa...

/

PEDRO PAULO dança ao lado de VERÔNICA numa festa.

VERÔNICA: Vem, Pedro Paulo!

PEDRO PAULO: Pera aí, vou no banheiro, já volto.

VERÔNICA: Não, vai, vamo dançar, só mais essa.

PEDRO PAULO: Me solta, você tá bêbada!

VERÔNICA: Lógico, eu achei uma comanda!

PEDRO PAULO: Vai, me deixa!

VERÔNICA: Não, tem que fazer a coreografia.

Eles dançam a coreografia de "Macarena", ambos de frente pra plateia. No passo de "Macarena!", pulam e ficam um de frente para o outro.

/

PEDRO PAULO em frente ao espelho do banheiro, cara a cara com PEDRO PAULO.

PEDRO PAULO: [*examina-se diante do espelho, demoradamente. Os dois PEDRO PAULOS começam a falar juntos*] Ê, Pedro Paulo! Tá ficando velho, hein?... Cê tá comigo? Tamo junto? Me diga se eu posso contar com você. Porque se eu puder contar com você, pode ter certeza que você pode contar comigo. Então vamo? Fecha comigo? Vambora?

Um dos dois para de falar e um começa a falar sozinho. Os gestos também ficam desemparceirados.

PEDRO PAULO: Ué?

PEDRO PAULO 2: Desculpa, eu não sei se eu tô pronto pra ir com você. Você se incomoda de ir sozinho?

/

PEDRO PAULO com medo de atravessar uma ponte com MOSCA esperando do outro lado.

MOSCA: Vem, Pedro Paulo, que que cê tá esperando?

PEDRO PAULO: Eu já vou!

MOSCA: Não vai me dizer que você tá com medo de atravessar essa pontezinha de nada, tá?

PEDRO PAULO: Eu tô cansado, é bem diferente.

MOSCA: Ah, Pedro Paulo, larga de ser frouxo, vai! Todo mundo já atravessou, vai deixar o medo te paralisar?

PEDRO PAULO: Vai indo lá, viado.

MOSCA: Não me chama de viado. Vai, vem cá, eu te ajudo. [*vai andando em direção a Pedro Paulo*] Vai, vem cá, eu te ajudo.

PEDRO PAULO: Não precisa.

MOSCA: Vem cá, vem cá, vem cá...

PEDRO PAULO: Ó o jeito que cê fala comigo, "vem cá, vem cá...".

/

MATILDE, a mãe de PEDRO PAULO, abraça o filho pequeno.

MATILDE: Vem cá, vem cá, Pedro Paulo. Conta pra mamãe: Cadê o toicinho que tava aqui, o gato...?

PEDRO PAULO: Comeu.

MATILDE: Cadê o gato, foi pro...?

PEDRO PAULO: Mato.

MATILDE: Cadê o mato?

PEDRO PAULO: O fogo queimou!

MATILDE: Cadê o fogo, a água...?

PEDRO PAULO: Apagou.

MATILDE: Cadê a água, o boi...?

PEDRO PAULO: Bebeu!

MATILDE: Cadê o boi?

PEDRO PAULO: Tá amassando trigo.

MATILDE: Cadê o trigo, tá no...?

PEDRO PAULO: Pão.

MATILDE: Cadê o pão?

PEDRO PAULO: O padre comeu.

MATILDE: Cadê o padre, tá rezando a...?

PEDRO PAULO: Missa!

MATILDE: Cadê a missa?

PEDRO PAULO: Tá na igreja!

MATILDE: E cadê a igreja?

PEDRO PAULO: Tá no mundo.

MATILDE: [*festejando*] ÊÊÊÊÊ! Ai, como você é inteligente! E como é seu nome?

/

PEDRO PAULO diante de seu pai, MAURO, deitado na cama, com Alzheimer. PEDRO PAULO vai movimentando a maca do pai no quarto.

MAURO: João.

PEDRO PAULO: Eu não sou o João, pai. O João é seu irmão, eu sou o Pedro Paulo, seu filho.

MAURO: Eu falei pra você levar comida pra mãe, João. Ela fica largada naquele apartamento, criando poeira.

PEDRO PAULO: Não, pai, João é seu irmão.

MAURO: Ela fica vendo televisão o dia inteiro, nunca sai pra tomar um solzinho. Eu sempre falo que tem que abrir essa janela dela.

PEDRO PAULO: Você quer que eu abra a janela, pai, é isso?

MAURO: Eu falo pra mãe que tem que abrir a janela, senão não troca o ar.

PEDRO PAULO: Tá bom, pai, vou abrir aqui a janela pro senhor. Depois tem que chamar a enfermeira, que o senhor se sujou todo.

PEDRO PAULO caminha até o outro lado do quarto e abre a janela.

/

JÚLIA, amiga de PEDRO PAULO, ameaça se jogar do oitavo andar do prédio.

JÚLIA: Não chega perto, Pedro Paulo.

PEDRO PAULO: Desce daí, Júlia, caralho!

JÚLIA: Deixa eu fazer o que eu quiser da minha vida!

PEDRO PAULO: Sai dessa janela, Júlia, pelo amor de Deus!

JÚLIA: Me dá um bom motivo pra continuar nessa merda? Me dá um bom motivo!

/

MIGUEL, irmão de PEDRO PAULO, empurrando o irmão dentro do carrinho de supermercado.

MIGUEL: Carrinho!!!

PEDRO PAULO: Vai devagar, senão vai derrubar as compras da mamãe.

MIGUEL: Segura, Pedro Paulo!

PEDRO PAULO: Cuidado, vai bater no panetone!

MIGUEL: Cuidado, vou brecar.

Miguel breca, Pedro Paulo cai do carrinho.

/

MOTORISTA socorre PEDRO PAULO.

MOTORISTA: Calma, senhor! Você vai ficar bem! Não se mexe que o socorro já tá chegando para te buscar, tá bom? Aguenta firme que vai dar tudo certo.

PEDRO PAULO: O carro... eu não vi...

MOTORISTA: Não fala nada agora. Só respira fundo e eles já vão te tirar daí. Fica aqui comigo. Como é seu nome?

PEDRO PAULO: (...) É Pedro Paulo...

MOTORISTA: Fica aqui comigo, fica acordado, seu Pedro Paulo. Quantos dedos o senhor tá vendo? [*para outro cara*] Bota a maca aqui! Aqui, porra! [*para Pedro Paulo*] Tenta pensar em algum lugar que o senhor gostaria muito de estar, ou que o senhor vai querer ir quando isso tudo acabar, está bem? [*para outro* cara] A maca aqui, porra! [*para Pedro Paulo*] Vamos lá. É um, é dois e é...

/

PEDRO PAULO e DORA no saguão do teatro.

DORA: Ai, Pedro Paulo, eu caí...

PEDRO PAULO: Tô vendo.

PEDRO PAULO: [*ajudando Dora a se levantar*] Você se machucou?

DORA: Nossa, eu tô toda escangalhada...

PEDRO PAULO: Falei pra você não vir de salto. [*vai tentar passar a mão na perna dela pra tirar a sujeira*]

DORA: Ai, tá doendo! Custava ter andado mais devagar? Agora tá todo mundo olhando...

PEDRO PAULO: Que que tem?

DORA: Acho que eu não quero nem entrar mais...

PEDRO PAULO: [*animado com a possibilidade de ir embora*] Quer ir embora?

DORA: Não, quero entrar. Cadê os ingressos?

PEDRO PAULO: Tão aqui comigo. Vai, segura no meu braço.

DORA: Nossa, você tá insuportável.

PEDRO PAULO: Ó, me escuta: Última vez, hein? [*para a bilheteira*] Boa noite. Brigado.

DORA: Olha lá, já tá quase todo mundo sentado. Vamos sentar naquelas duas cadeiras vazias.

Caminham em direção à plateia e sentam-se em cadeiras livres.

PEDRO PAULO: Tomou seu remédio?

DORA: Tomei. Desligou seu celular?

PEDRO PAULO: Shhhhh.

DORA: "Shhhh" o quê? "Shhh" pra você. [*pausa*] E o que mais?

PEDRO PAULO: Mais nada.

DORA: Então é isso?

PEDRO PAULO: Ãrrã.

Luz do palco vai saindo em lento fade out *até o blecaute. Aplausos. Começam os agradecimentos.*

ELE: A peça acaba mas a vida continua, então a gente queria muito agradecer a presença de todos. Quer falar mais alguma coisa?

ELA: Não, eu só queria agradecer a uma pessoa em especial que tá aqui esta noite, uma pessoa muito importante para nós, e que passou o espetáculo inteiro sem conseguir aproveitar porque lembrou que tinha deixado a janela de casa aberta. Então nós já estamos no futuro, e essa pessoa entra no apartamento esbaforida, o que é uma besteira, porque agora não faz mais nenhuma diferença, por causa da janela aberta, a janela aberta, a janela aberta, então ela chega na sala e vê que a janela está fechada. Daí ela abre a janela.

ELE: Então ela resolve ir dormir, mas deixa a janela aberta. E, agora sim, a peça acaba.

ELA: Mas a vida continua.

Editora-chefe
Isabel Diegues

Editora
Mariah Schwartz

Coordenação de produção
Melina Bial

Revisão final
Eduardo Carneiro

Projeto gráfico e diagramação
Mari Taboada

Capa
Laura Del Rey

CIP-BRASIL. CATALOGAÇÃO-NA-FONTE
SINDICATO NACIONAL DOS EDITORES DE LIVROS, RJ

Calderoni, Vinicius
C152a Ãrrã / Vinicius Calderoni.– 1. ed.– Rio de Janeiro : Cobogó, 2017.
80 p. (Dramaturgia)

ISBN 978-85-5591-026-5
1. Teatro brasileiro. I. Título. II. Série.

17-39823 CDD: 869.92
CDU: 821.134.3(81)-2

Nesta edição, foi respeitado o Acordo Ortográfico da Língua Portuguesa de 1990, que entrou em vigor no Brasil em 2009.

Editora de Livros Cobogó Ltda.
Rua Jardim Botânico, 635/406
Rio de Janeiro – RJ – 22470-050
www.cobogo.com.br

Outros títulos desta coleção:

ALGUÉM ACABA DE MORRER LÁ FORA, de Jô Bilac

NINGUÉM FALOU QUE SERIA FÁCIL, de Felipe Rocha

TRABALHOS DE AMORES QUASE PERDIDOS, de Pedro Brício

NEM UM DIA SE PASSA SEM NOTÍCIAS SUAS, de Daniela Pereira de Carvalho

OS ESTONIANOS, de Julia Spadaccini

PONTO DE FUGA, de Rodrigo Nogueira

POR ELISE, de Grace Passô

MARCHA PARA ZENTURO, de Grace Passô

AMORES SURDOS, de Grace Passô

CONGRESSO INTERNACIONAL DO MEDO, de Grace Passô

IN ON IT | A PRIMEIRA VISTA, de Daniel MacIvor

INCÊNDIOS, de Wajdi Mouawad

CINE MONSTRO, de Daniel MacIvor

CONSELHO DE CLASSE, de Jô Bilac

CARA DE CAVALO, de Pedro Kosovski

GARRAS CURVAS E UM CANTO SEDUTOR, de Daniele Avila Small

OS MAMUTES, de Jô Bilac

INFÂNCIA, TIROS E PLUMAS, de Jô Bilac

NEM MESMO TODO O OCEANO, adaptação de Inez Viana do romance de Alcione Araújo

NÔMADES, de Marcio Abreu e Patrick Pessoa

CARANGUEJO OVERDRIVE, de Pedro Kosovski

BR-TRANS, de Silvero Pereira

KRUM, de Hanoch Levin

MARÉ/PROJETO bRASIL, de Marcio Abreu

AS PALAVRAS E AS COISAS, de Pedro Brício

MATA TEU PAI, de Grace Passô

A PAZ PERPÉTUA, de Juan Mayorga
Tradução Aderbal Freire-Filho

APRÈS MOI, LE DÉLUGE (DEPOIS DE MIM, O DILÚVIO), de Lluïsa Cunillé
Tradução Marcio Meirelles

ATRA BÍLIS, de Laila Ripoll
Tradução Hugo Rodas

CACHORRO MORTO NA LAVANDERIA: OS FORTES, de Angélica Liddell
Tradução Beatriz Sayad

DENTRO DA TERRA, de José Manuel Mora
Tradução Roberto Alvim

MÜNCHAUSEN, de Lucía Vilanova
Tradução Pedro Brício

NN12, de Gracia Morales
Tradução Gilberto Gawronski

O PRINCÍPIO DE ARQUIMEDES, de Josep Maria Miró i Coromina
Tradução Luís Artur Nunes

OS CORPOS PERDIDOS, de José Manuel Mora
Tradução Cibele Forjaz

CLIFF (PRECIPÍCIO), de Alberto Conejero López
Tradução Fernando Yamamoto

2017

1ª edição

Este livro foi composto em Univers.
Impresso pelo Grupo SmartPrinter
sobre papel Polen Bold LD 70g/m².